Cuisine végétarienne

D1298503

Barbara Rias-Bucher

Photos : ALEXANDRA DUCA
Stylisme : GARLONE BARDEL

HACHETTE
Pratique

Sommaire

Signification des symboles

★ très facile   € bon marché

★★ facile   € € raisonnable

★★★ difficile   € € € cher

Asperges aux pousses d'alfalfa

pour **4 personnes** – préparation : **1 heure 15** – germination : **3 jours**
une portion contient environ : 120 kcal – Protides : 5 g – Lipides : 12 g – Glucides : 4 g
difficulté : ★ ★ – coût : 🪙 🪙 🪙

- 500 g d'asperges blanches
- 500 g d'asperges vertes
- 30 g de graines d'alfalfa
- 3 cuil. à soupe de vinaigre de vin blanc
- 1 cuil. à café de moutarde forte
- 3 cuil. à soupe d'huile de carthame
- 1 morceau de zeste de citron non traité
- 1 pincée de sucre
- Sel
- Poivre blanc du moulin

1 Mettre dans un verre les graines d'alfalfa, couvrir d'eau chaude et les laisser reposer 30 min. Recouvrir le verre avec une gaze et la coller avec un ruban adhésif. Vider l'eau. Mettre ensuite le verre dans un endroit chaud et clair et laisser germer les graines pendant 3 jours. Chaque jour, changer les graines d'eau, laisser reposer quelques instants et vider l'eau à nouveau.

2 Pour la salade, éplucher les asperges blanches. Couper le bout dur des tiges des deux variétés d'asperges. Laver celles-ci.

3 Remplir aux trois quarts une marmite d'eau. Saler et sucrer. Porter l'eau à ébullition. Y mettre les asperges blanches, faire bouillir, couvrir et faire cuire 10 min à feu doux. Ajouter les asperges vertes et faire la même chose jusqu'à ce qu'elle soient tendres.

4 Sortir les asperges de la marmite, les égoutter puis les dresser les unes à côté des autres sur une assiette creuse.

5 Mélanger 5 cuillerées à soupe de l'eau de cuisson des asperges avec le vinaigre, la moutarde et l'huile, pour la sauce. Verser sur les asperges. Laisser refroidir 30 min.

6 Passer les pousses d'alfalfa sous l'eau froide et les égoutter. Hacher finement le zeste du citron. Parsemer les asperges avec les pousses et le zeste. Saler et poivrer la salade.

Carottes râpées aux raisins

pour **3 personnes** – préparation : **environ 20 minutes**

une portion contient environ : 290 kcal – Protides : 6 g – Lipides : 13 g – Glucides : 35 g

difficulté : ★ – coût : €

- 500 g de carottes
- 250 g de raisin vert ou noir
- 1 citron
- 2 cuil. à soupe de crème liquide
- 1 cuil. à café de miel
- 1 cuil. à café d'huile de tournesol
- 50 g de noix
- 2 branches de persil plat
- Poivre noir du moulin

1 Laver et éplucher les carottes. Les râper. Laver et essuyer le raisin. Détacher les grains et les couper en deux. Ôter éventuellement les pépins. Presser le citron.

2 Pour la sauce, mélanger le jus de citron avec la crème liquide, le miel et l'huile. Verser la sauce sur les carottes et les raisins mélangés. Dresser la salade sur les assiettes et poivrer.

3 Laver, essuyer et hacher le persil. Hacher les noix. Parsemer les crudités de persil et de noix. Accompagner de toasts de pain complet beurrés.

Crudités de printemps

pour **4 personnes** – préparation : **environ 30 minutes**
une portion contient environ : 230 kcal – Protides : 4 g – Lipides : 16 g – Glucides : 18 g
difficulté : ★ – coût : €

- 300 g de navet blanc long
- 300 g de carottes
- 1 botte de radis
- 2 pommes ('cox orange' ou 'starking', environ 300 g)
- 100 g de crème fraîche
- 3 cuil. à soupe de vinaigre de cidre
- 1 cuil. à soupe de jus de citron
- 2 cuil. à soupe d'huile de carthame

- 2 cuil. à soupe de fines herbes hachées
- 2 cuil. à soupe de graines de tournesol ou de potiron
- Sel, poivre blanc du moulin

1 Éplucher et râper le navet et les carottes. Laver et émincer les radis. Couper en quatre les pommes, les éplucher, les râper après avoir ôté les pépins.

2 Mélanger tous les ingrédients préparés avec le jus de citron. Dresser les crudités sur les assiettes.

3 Préparer la sauce : mélanger le vinaigre avec du sel, du poivre, la crème fraîche et l'huile. Répandre sur les parts de salade. Parsemer de fines herbes et de graines.

◆ Les crudités, préparées juste avant d'être servies, forment des entrées délicieuses. Elles apaisent la première faim et facilitent la digestion. Vous pouvez varier à plaisir les ingrédients en utilisant de préférence les légumes de saison. En hiver, vous augmenterez ce choix avec les pousses que vous aurez fait germer vous-même.

Haricots aux tomates et au fromage

pour **5 personnes** – préparation : **environ 35 minutes**
une portion contient environ : 240 kcal – Protides : 12 g – Lipides : 13 g – Glucides : 18 g

difficulté : ★ ★ – coût : € €

- 500 g de tomates
- 300 g de haricots verts
- 300 g de fèves surgelées
- 1 bouquet de sarriette
- 150 g de fromage de brebis grec (feta)
- 1 cuil. à soupe de crème
- 1 cuil. à soupe de moutarde aux herbes
- 1 sachet d'infusion au choix
- 3 cuil. à café de vinaigre de cidre
- 3 cuil. à soupe d'huile de maïs
- Sel, poivre noir du moulin

1 Laver et nettoyer les haricots verts. Laver la sarriette, couper les tiges. Mettre de côté les feuilles pour en parsemer la salade.

2 Dans une casserole, porter 1/4 litre d'eau à ébullition et y mettre les haricots verts, les tiges de sarriette ainsi que les fèves (non décongelées). Couvrir et faire cuire 15 min à feu doux jusqu'à ce que les haricots soient tendres.

3 Mettre les haricots dans une passoire et conserver l'eau de la cuisson. Laisser refroidir les haricots dans une terrine.

4 Faire bouillir à nouveau l'eau de la cuisson, y plonger le sachet d'infusion et retirer la casserole du feu. Laisser infuser 10 min et enlever le sachet.

5 Pour préparer la sauce, mélanger l'infusion avec le vinaigre, la crème liquide, la moutarde, du sel, du poivre et l'huile. Verser cette sauce sur les haricots et remuer. Dresser la salade sur les assiettes.

6 Laver et tailler les tomates en dés. Hacher les feuilles de sarriette, couper le fromage en dés, et en parsemer la salade.

Soupe de légumes au curry

pour **4 personnes** – préparation : **environ 25 minutes**
une portion contient environ : 67 kcal – Protides : 4 g – Lipides : 3 g – Glucides : 7 g

difficulté : ★ ★ – coût : ⊜

- 250 g de poireaux
- 2 tomates
- 2 petites courgettes (200 g)
- 1 gousse d'ail
- 3/4 litre de bouillon de légumes
- 1 cuil. à café d'huile de maïs
- 1/2 cuil. à café de curcuma

- 1/2 cuil. à café de cumin
- Coriandre moulue
- Poudre de gingembre
- Stigmates de safran
- 1 bouquet de persil plat
- Sel
- Piment de Cayenne

1 Nettoyer, laver et émincer les poireaux. Hacher l'ail épluché.

2 Faire chauffer l'huile et faire revenir 1 min le poireau et l'ail en tournant. Ajouter les épices, le piment de Cayenne et saler. Faire sauter quelques secondes.

3 Laver les courgettes et les tailler en fins bâtonnets après avoir coupé les extrémités. Verser le bouillon de légumes et porter à ébullition. Ajouter les courgettes, couvrir et faire cuire 5 min à feu doux.

4 Couper les tomates en dés. Laver, essuyer et hacher le persil.

5 Mettre la moitié des tomates dans le bouillon et laisser cuire 1 min. Verser le bouillon dans les assiettes puis rajouter le reste des tomates et le persil.

Soupe verte

pour **4 personnes** – préparation : **environ 40 minutes**

une portion contient environ : 190 kcal – Protides : 8 g – Lipides : 13 g – Glucides : 10 g

difficulté : ★ – coût : €

• 500 g de légumes pour la soupe
(carottes, céleri-rave, poireau et tiges de persil)
• 250 g d'épinards
• 1 petite laitue ferme
• 1 gros oignon
• 200 g de crème liquide
• 1 litre de bouillon de légumes
• 2 cuil. à soupe d'huile de tournesol
• 1/4 cuil. à café de cumin
• 1 bouquet de ciboulette
• 25 g de graines de tournesol
• Sel, poivre blanc du moulin
• Piment de Cayenne

Pour le bouillon de légumes :
• 350 g de carottes
• 250 g de poireaux
• 250 g de céleri en branches ou de céleri-rave
• 2 tomates
• 1 bulbe de fenouil de 250 g
• 1 oignon
• 1 gousse d'ail
• 1 bouquet de persil
• Quelques branches de thym
• 1 feuille de laurier

1 Nettoyer, laver et couper les légumes en petits morceaux. Couper la laitue en quatre, la laver et la tailler en minces lanières. Nettoyer, laver, égoutter et hacher les épinards. Éplucher et hacher finement l'oignon.

2 Faire revenir à feu moyen dans l'huile les légumes et l'oignon en remuant.

3 Pour le bouillon, nettoyer tous les légumes et les couper en petits morceaux. Éplucher et hacher l'oignon et la gousse d'ail. Laver le persil et le thym et les lier en bouquet avec la feuille de laurier. Dans une grande casserole, mettre les légumes coupés en morceaux, l'oignon, la gousse d'ail, le bouquet garni et les grains de poivre. Vers 1 litre d'eau et porter à ébullition. Saler, couvrir et faire bouillir 30 min à feu doux. Tapisser une passoire avec de la gaze et disposer une casserole dessous. Verser le bouillon et les légumes à travers la passoire. Presser les légumes et les herbes avec une cuillère en bois pour en extraire le jus et les jeter. Porter à nouveau le bouillon à ébullition.

4 Verser le bouillon sur les légumes et porter à ébullition. Laisser cuire 2 min.

5 Ajouter la salade et les épinards et porter à nouveau à ébullition. Saler, poivrer et assaisonner avec le cumin.

6 Laver, essuyer et hacher la ciboulette. Hacher les graines de tournesol. Mélanger la ciboulette et les graines avec la crème et relever avec le piment de Cayenne.

7 Verser la soupe dans des assiettes chaudes. Disposer 1 cuillerée à soupe de crème dans chaque assiette. Servir dans un récipient à part la crème restante.

Asperges à la crème d'aneth

pour **2 personnes** – préparation : **environ 45 minutes**

une portion contient environ : 430 kcal – Protides : 23 g – Lipides : 10 g – Glucides : 73 g

difficulté : ★ – coût : €€

- 1 kg d'asperges
- 800 g de petites pommes de terre nouvelles
- 1 oignon nouveau
- 100 g de yaourt maigre
- 2 cuil. à soupe de crème fraîche
- 2 cuil. à soupe de cottage cheese
- 10 g de beurre
- 1 gros bouquet d'aneth
- Sel, poivre blanc du moulin

1 Bien frotter les pommes de terre et les faire cuire avec leur peau dans un peu d'eau jusqu'à ce qu'elles soient bien tendres. Compter 15 à 20 min de cuisson selon la taille des pommes de terre.

2 Éplucher les asperges et enlever les parties dures. Porter à ébullition une grande quantité d'eau salée avec le beurre. Y plonger les asperges, faire bouillir et cuire 10-20 min *al dente*, fermes sous la dent.

3 Avant de laver et d'émincer l'oignon, enlever les feuilles flétries et l'extrémité de la racine. Laver, essuyer et hacher l'aneth.

4 Pour la crème d'aneth, mélanger le yaourt avec la crème fraîche et le cottage cheese. Ajouter la ciboulette et les rondelles d'oignon. Saler et poivrer.

5 Ôter les asperges de l'eau, les égoutter et les dresser sur les assiettes chaudes avec les pommes de terre. Servir avec la crème.

Gratin de gruau aux aubergines

pour **4 personnes** – préparation : **1 heure 30** – repos : **8 heures**
une portion contient environ : 620 kcal – Protides : 18 g – Lipides : 38 g – Glucides : 13 g
difficulté : ★★ – coût : 🪙

- 500 g d'aubergines
- 250 g de tomates
- 1 oignon
- 1 gousse d'ail
- 250 g de yaourt
- 100 g de crème fraîche
- 100 g de gouda râpé

- 200 g de gruau de blé
- 5 cuil. à soupe d'huile d'olive
- 50 g de noix
- 1 bouquet de persil
- 1 bouquet de basilic
- Sel
- Piment de Cayenne

1 Verser 40 cl d'eau sur le gruau et laisser tremper au réfrigérateur pendant 8 h.

2 Couper les aubergines en dés. Peler les tomates (voir p. 26) et les couper en morceaux. Éplucher et hacher l'oignon et l'ail. Laver et hacher le persil.

3 Faire chauffer l'huile et faire revenir 20 min à feu doux l'oignon et l'ail en remuant souvent.

4 Mélanger le gruau avec les aubergines, les tomates pelées, le persil, la crème fraîche, les noix, le fromage, du sel et du piment de Cayenne.

5 Mettre le mélange dans un plat à gratin. Poser le plat (à mi-hauteur) dans le four froid. Faire cuire 45 min environ à 180 °C.

6 Hacher le basilic. Mélanger le yaourt avec le basilic, 1 pincée de sel et du piment de Cayenne. Répandre le tout sur le gratin.

Gratin de légumes

pour **4 personnes** – préparation : **1 heure 30**

une portion contient environ : 330 kcal – Protides : 20 g – Lipides : 20 g – Glucides : 18 g

difficulté : ★ ★ – coût : €

- 500 g de courgettes
- 250 g d'oignons nouveaux
- 250 g de choucroute
- 2 gousses d'ail
- 75 g de farine de blé complet
- 125 g d'emmental ou de gouda râpé
- 25 g de beurre

- 2 œufs
- 10 cl de lait
- 1 bouquet de persil plat
- 1 cuil. à café de poudre de paprika
- Noix muscade râpée
- Sel, poivre blanc du moulin

1 Nettoyer les courgettes et les oignons. Tailler les courgettes en dés, émincer les oignons. Hacher la choucroute. Éplucher et hacher l'ail, hacher grossièrement le persil.

2 Mélanger le lait avec la farine, du sel, du poivre, la poudre de paprika et de la noix muscade. Séparer les jaunes des blancs d'œufs. Incorporer les jaunes au mélange puis ajouter les courgettes, les oignons, la choucroute, l'ail et le persil.

3 Battre les blancs d'œufs en neige très ferme et les intégrer à la préparation précédente. Parsemer de fromage râpé et mélanger le tout.

4 Mettre la préparation dans un plat et l'égaliser. Poser à mi-hauteur dans le four froid. Laisser gratiner 45 min à 180 °C.

Gratin de pommes de terre aux noix

pour **4 personnes** – préparation : **environ 1 heure 45**
une portion contient environ : 500 kcal – Protides : 19 g – Lipides : 31 g – Glucides : 38 g

difficulté : ★ ★ – coût : €

- 800 g de pommes de terre farineuses
- 1 oignon
- 100 g de gouda râpé
- 50 g de beurre
- 12 cl de lait
- 4 cuil. à soupe de bouillon de légumes
(Voir point 3 page 14)

- 3 œufs
- 50 g de noisettes en poudre
- 1 cuil. à soupe de farine de blé complet
- 1/2 cuil. à café de cumin
- 1 bouquet de marjolaine fraîche
- Sel, poivre blanc du moulin

1 Éplucher, laver et couper les pommes de terre en dés. Les mettre dans une grande casserole avec le bouillon de légumes et porter à ébullition. Couvrir et faire cuire 20 min à feu doux.

2 Éplucher et hacher l'oignon. Laver et hacher la marjolaine.

3 Verser le lait sur les pommes de terre cuites et battre pour obtenir une purée. Laisser tiédir.

4 Séparer les jaunes des blancs d'œufs. Mélanger ensuite les jaunes d'œufs, l'oignon et la marjolaine avec les pommes de terre. Battre les blancs en neige très ferme et les mettre sur la préparation.

5 Faire un mélange avec le fromage, les noisettes, la farine, du sel, le cumin et 1 bonne pincée de piment de Cayenne puis le mettre sur les blancs. Enfin, mélanger le tout avec précaution.

6 Enduire avec le tiers du beurre un plat à gratin pourvu de hauts bords. Y parsemer des morceaux de beurre restant.

7 Mettre le plat (à mi-hauteur) dans le four froid. Faire cuire le gratin 45 min à 180 °C.

Légumes d'hiver aux champignons

pour **3 personnes** – préparation : **environ 45 minutes**
une portion contient environ : 600 kcal – Protides : 17 g – Lipides : 24 g – Glucides : 80 g

difficulté : ★ ★ – coût : €

• 500 g de légumes pour la soupe
(poireaux, céleri-rave, carottes)
• 200 g de champignons
• 1 fenouil
• 2 gros oignons
• 250 g de boulgour
• 100 g de crème liquide

• 1/2 litre de bouillon de légumes
(Voir point 3 page 14)
• 4 cuil. à soupe d'huile de tournesol
• 2 cuil. à soupe de jus de citron
• 1 cuil. à café de graines de cumin
• 1 bouquet de persil plat
• Sel, poivre blanc du moulin

1 Nettoyer et couper en dés les légumes pour la soupe. Détacher la verdure du fenouil et la mettre de côté. Couper le bulbe en deux, le laver, puis le tailler en lanières dans le sens de la largeur après avoir ôté la base. Éplucher et hacher les oignons.

2 Nettoyer les champignons, les laver, les hacher et les arroser de jus de citron.

3 Faire chauffer 1 cuillerée à soupe d'huile et faire revenir le boulgour. Ajouter le bouillon de légumes, porter à ébullition et faire cuire le boulgour 20 min à feu doux et à couvert.

4 Faire chauffer l'huile restante et faire rissoler les oignons jusqu'à ce qu'ils soient transparents. Ajouter les légumes pour la soupe et le fenouil puis faire revenir quelques secondes. Saler, poivrer et mettre le cumin. Verser la crème, porter à ébullition et faire cuire 5 min à couvert et à feu doux jusqu'à ce que les légumes soient *al dente*.

5 Mélanger les champignons avec le boulgour. Laver et hacher le persil et la verdure du fenouil. En parsemer les légumes et le boulgour.

Pommes de terre à la sauce multicolore

pour **2 personnes** – préparation : **environ 25 minutes**

une portion contient environ : 710 kcal – Protides : 16 g – Lipides : 49 g – Glucides : 49 g

difficulté : ★ ★ – coût : €

- 500 g de petites pommes de terre
- 500 g d'épinards
- 400 g de tomates
- 2 oignons nouveaux
- 200 g de crème fraîche

- 2 cuil. à soupe d'huile de carthame
- 1/2 bouquet de persil plat
- Sel
- Poivre blanc du moulin

1 Brosser les pommes de terre sous l'eau courante et les faire cuire dans un peu d'eau salée jusqu'à ce qu'elles soient tendres. Compter 15 à 20 min selon la taille des pommes de terre.

2 Laver, essorer et hacher grossièrement les épinards. Éventuellement, conserver les tiges dures.

3 Peler les tomates (voir Conseils) et les tailler en dés après avoir enlevé les pédoncules. Laver les oignons et les couper en fines rondelles.

4 Faire chauffer l'huile, puis y faire revenir 2 min à feu vif tous les morceaux de légumes en remuant sans cesse. Saler et poivrer ce mélange.

5 Ajouter la crème fraîche avant de porter à ébullition. Couvrir, éteindre le feu et laisser reposer 2 min.

6 Laver, essuyer et hacher finement le persil. Égoutter les pommes de terre, les disposer dans les assiettes chaudes et les partager en deux. Répandre la sauce dessus et parsemer de persil.

Conseils

Il n'est pas nécessaire d'ébouillanter les tomates avant de les peler. Les tomates bien mûres se pèlent telles quelles sans difficulté. Si cela ne réussit pas, procéder de la manière suivante : passer la lame d'un petit couteau tranchant sur toute la surface de la tomate en appuyant fortement. Tenir la lame un peu de biais de façon à ne pas marquer la peau. Mettre les tomates de côté 3 min ou jusqu'à ce que les autres ingrédients soient prêts. Retirer alors la peau à l'aide du couteau. Toujours ôter la queue et les graines des tomates, car les deux contiennent de la solanine, nocive pour la santé même en petites quantités.

Cette sauce permet d'utiliser toute la verdure que l'on jette habituellement. Toutes les feuilles de légumes conviennent : radis roses, radis noir, chou-rave ou carottes. On peut aussi prendre les restes de fines herbes, d'oignons ou de poireaux, les petites feuilles du céleri en branches ou du fenouil. Faire attention aux temps de cuisson différents. Tous ces ingrédients cuisent aussi vite que les épinards à l'exception des feuilles de chou-rave et de carottes pour lesquelles 7 min suffisent.

Légumes crus et leurs sauces

pour **4 personnes** – préparation : **environ 50 minutes**
une portion contient environ : 450 kcal – Protides : 15 g – Lipides : 33 g – Glucides : 21 g
difficulté : ⭐ – coût : €

Pour les légumes :
• 600 g de légumes de saison
• 1 courgette moyenne (environ 125 g)
• 4 gros champignons de Paris
• 4 oignons nouveaux ou de fines rondelles de poireaux

Pour la sauce à l'orange :
• 1 avocat mûr
• 1 orange non traitée
• 100 g de yaourt maigre
• 1 cuil. à soupe de persil plat haché
• Sel, poivre blanc du moulin

Pour la sauce au fromage :
• 100 g de fromage frais double-crème
• 50 g de crème liquide

• 1 cuil. à soupe de lait
• 2 cuil. à soupe de jus de citron
• 1 cuil. à soupe de purée d'amandes
• 1 cuil. à soupe de ciboulette hachée
• Sel, piment de Cayenne

Pour la sauce au tofu :
• 100 g de tofu
• 3 cuil. à soupe de lait
• 1 cuil. à soupe de crème liquide
• 1 gousse d'ail
• 1 bouquet d'aneth
• 1 cornichon
• 50 g de pistaches
• 1 cuil. à café de câpres
• Sel, piment de Cayenne

1 Pour la sauce à l'orange, couper l'avocat en deux, le peler et ôter le noyau. Laver et essuyer l'orange. Peler un zeste de 4 cm de long et le hacher. Presser l'orange. Verser son jus sur l'avocat, dans une terrine, et écraser en purée. Ajouter le yaourt, le persil et le zeste de l'orange. Saler et poivrer.

2 Pour la sauce au fromage, battre ensemble le fromage frais, la crème liquide et le lait jusqu'à ce que le mélange soit lisse. Ajouter le jus de citron, la purée d'amandes et la ciboulette. Saler et mettre 1 pincée de piment de Cayenne.

3 Pour la sauce au tofu, écraser en purée le tofu égoutté avec le lait et la crème liquide. Éplucher l'ail et le presser. Laver, égoutter et hacher finement l'aneth. Hacher

le cornichon et les pistaches. Ajouter ces ingrédients et les câpres à la crème de tofu. Saler et assaisonner de piment de Cayenne.

4 Laver, nettoyer les légumes puis les éplucher si nécessaire. Les couper en morceaux. Tailler les carottes, le radis noir et le concombre en bâtonnets. Détacher les bouquets du chou-fleur. Couper les poivrons et les fenouils en lanières. Partager en deux les côtes de céleri. Séparer les bouquets de brocoli, éplucher et couper les tiges en bâtonnets.

5 Ôter les feuilles extérieures flétries des oignons nouveaux ou des poireaux avant de laver et égoutter. Laver et égoutter la courgette et les champignons. Tailler la courgette en bâtonnets. Partager les champignons en deux ou en quatre.

Chou blanc au riz et à la ciboulette

pour **2 personnes** – préparation : **environ 45 minutes**

une portion contient environ : 500 kcal – Protides : 12 g – Lipides : 19 g – Glucides : 74 g

difficulté : ★ – coût : € €

- 1 petit chou blanc (500 g)
- 300 g de tomates
- 1 gros oignon
- 150 g de riz long complet
- 2 cuil. à soupe de crème fraîche
- 2 cuil. à soupe d'huile de maïs
- 1 bouquet de ciboulette
- 1/2 bouquet de basilic ou de persil
- Sel

1 Porter à ébullition 30 cl d'eau salée avec le riz et faire cuire à feu très doux et à couvert pendant 40 min.

2 Enlever les feuilles flétries du chou, le couper, le laver et le tailler en fines lanières. Peler les tomates et les couper en dés.

3 Éplucher et hacher l'oignon. Le faire revenir dans l'huile jusqu'à ce qu'il soit transparent. Ajouter le chou et les tomates, porter à ébullition et faire cuire 5 min à couvert et à feu doux jusqu'à ce que le chou soit *al dente*, ferme sous la dent. Saler.

4 Laver et essuyer le basilic et la ciboulette puis les hacher séparément. Mélanger la ciboulette avec le riz.

5 Disposer les légumes et le riz sur des assiettes chaudes. Décorer éventuellement les légumes d'une dose de crème fraîche et les parsemer de basilic.

Pâtes à la tomate et au chou

pour **4 personnes** – préparation : **2 heures 45**

une portion contient environ : 570 kcal – Protides : 25 g – Lipides : 30 g – Glucides : 51 g

difficulté : ★ ★ – coût : 🌐

- 1 chou de Milan
- 400 g de tomates
- 1 gros oignon
- 1 gousse d'ail
- 200 g de farine de blé complet
- 100 g de crème fraîche
- 4 à 6 œufs

- 5 cuil. d'huile d'olive
- 1 bouquet de ciboulette
- 2 branches de thym frais
- Sel
- Poivre noir du moulin
- Farine pour le plan de travail

1 Pour les pâtes, mélanger la farine, du sel, 2 œufs entiers et 1 cuillerée à soupe d'huile. Puis ajouter autant de jaunes d'œufs qu'il faut pour obtenir une pâte lisse, souple et élastique.

2 Former une boule et l'envelopper de papier sulfurisé. La laisser reposer 30 min à température ambiante.

3 Couper la boule en quatre morceaux. Sur un plan de travail fariné, pétrir plusieurs fois chacun d'eux. Étendre ensuite ces morceaux en disques de 1 mm d'épaisseur. Les faire sécher 10 min sur des torchons. Couper chaque disque en pâtes. Mettre celles-ci à nouveau sur les torchons et laisser sécher 1 h afin qu'elles restent solides lors de la cuisson.

4 Pendant ce temps, préparer le chou : ôter les feuilles extérieures dures, le partager en huit, le laver et l'essorer. Tailler les morceaux en minces lanières et hacher finement le tronc et les grosses côtes des feuilles. Éplucher et hacher l'oignon et l'ail. Peler les tomates (voir Conseils, p. 26), les couper en dés après avoir ôté les pédoncules.

5 Dans une grande sauteuse, faire chauffer 3 cuillerées à soupe d'huile. Faire rissoler l'oignon et l'ail jusqu'à ce qu'ils soient transparents. Ajouter le chou et le faire revenir à feu moyen. Couvrir et faire cuire le chou à feu doux jusqu'à ce que les pâtes soient sèches.

6 Verser l'huile restante dans une casserole, y mettre ensuite les tomates et la crème fraîche, couvrir puis mettre à feu doux jusqu'à ce que les tomates soient brûlantes.

7 Faire cuire les pâtes *al dente*, fermes sous la dent, dans une grande quantité d'eau salée. Compter environ 1 min seulement après l'ébullition pour les pâtes faites maison.

8 Saler et poivrer le chou et les tomates. Laver, essuyer et hacher la ciboulette. Laver, essuyer et détacher les feuilles de thym.

9 Dresser le chou sur les assiettes chaudes et le parsemer de ciboulette. Verser les pâtes dans une passoire, les égoutter puis les mélanger avec les tomates. Les mettre à côté du chou et parsemer de thym.

◆ Pour préparer soi-même les pâtes, il est très important de tamiser la farine complète. Cette recette est fondée sur des pâtes complètes aux œufs. Si vous ne consommez pas d'œufs, remplacez-les par 10 cl d'eau froide.

Pâtes aux germes

pour **2 personnes** – préparation : **40 minutes**

une portion contient environ : 830 kcal – Protides : 33 g – Lipides : 35 g – Glucides : 89 g

difficulté : ★ ★ – coût : €

- 40 g de haricots mungo
- 2 tomates
- 1 oignon
- 250 g de pâtes complètes
- 100 g de crème fraîche
- 25 g de parmesan râpé
- 1 cuil. à soupe d'huile d'olive
- 2 cuil. à soupe de jus de citron
- 1 bouquet de ciboulette
- Sel, poivre noir du moulin

1 Mettre les haricots dans un verre, couvrir d'eau chaude et laisser reposer 30 min. Recouvrir d'une gaze et la coller avec un ruban adhésif. Renverser le verre pour vider l'eau. Le mettre ensuite dans un endroit chaud et clair et laisser germer les graines pendant 4 jours. Chaque jour recouvrir les graines d'eau, laisser reposer quelques instants et vider l'eau à nouveau.

2 Éplucher, hacher les oignons, et les faire revenir dans l'huile brûlante jusqu'à ce qu'ils soient transparents. Ajouter les pousses et la crème fraîche, porter à ébullition et faire cuire 5 min à feu doux et à couvert.

3 Saler et poivrer les pousses, puis les mélanger avec le jus de citron et le fromage. Couvrir.

4 Faire cuire les pâtes *al dente*, fermes sous la dent, dans de l'eau salée. Les égoutter et mélanger avec les pousses. Couper les tomates en dés. Laver, essuyer et hacher la ciboulette.

5 Pour servir, disposer les pâtes sur des assiettes chaudes. Les parsemer de dés de tomates et de ciboulette.

Pâtes aux légumes

pour **4 personnes** – préparation : **environ 40 minutes**
une portion contient environ : 550 kcal – Protides : 23 g – Lipides : 17 g – Glucides : 78 g
difficulté : ★ ★ – coût : €

- 600 g de légumes
(chou-rave, carottes, courgettes)
- 1 oignon
- 400 g de pâtes complètes
- 50 g de pain complet
- 50 g de parmesan râpé
- 2 cuil. à soupe de crème fraîche liquide
- 4 cuil. à soupe d'huile d'olive
- 2 cuil. à soupe de fines herbes variées hachées
- Sel, piment de Cayenne

1 Nettoyer, éplucher, laver et couper les légumes en petits morceaux. Éplucher et hacher l'oignon. Râper finement le pain.

2 Dans une poêle, faire chauffer 2 cuillerées à soupe d'huile. Faire revenir les miettes de pain à feu doux en tournant fréquemment jusqu'à ce qu'elles soient croustillantes.

3 Faire chauffer l'huile restante dans une casserole. À feu doux, faire rissoler l'oignon jusqu'à ce qu'il soit transparent. Ajouter les légumes et les faire revenir en tournant souvent jusqu'à ce qu'ils soient tendres. Assaisonner avec le piment de Cayenne et couvrir pour maintenir chaud.

4 Faire cuire les pâtes *al dente*, fermes sous la dent, dans une grande quantité d'eau salée. Mélanger 4 cuillerées à soupe de leur eau de cuisson avec la crème liquide et le fromage. Verser sur les légumes et remuer.

5 Verser les pâtes dans une passoire, les égoutter et les mélanger avec les légumes et le pain frit. Mettre les pâtes aux légumes dans des assiettes chaudes, saupoudrer de fines herbes et servir aussitôt.

Riz aux lentilles

pour **4 personnes** – préparation : **1 heure 10**

une portion contient environ : 480 kcal – Protides : 22 g – Lipides : 25 g – Glucides : 40 g

difficulté : ★ ★ – coût : € €

- 1 kg d'épinards frais
- 1 petit oignon
- 2 gousses d'ail
- 250 g de tofu
- 100 g de lentilles brunes
- 100 g de riz long complet
- 100 g de yaourt maigre
- 1 cuil. à soupe de crème fraîche
- 10 g de beurre
- 1/2 litre de bouillon de légumes (voir page 14)

- 5 cuil. à soupe d'huile de tournesol
- le jus de 1 citron
- 50 g de noix
- 1 cuil. à café de curcuma
- 1 cuil. à café de cumin
- 1 cuil. à café de coriandre en poudre
- 1/2 cuil. à café de gingembre en poudre
- 1 bouquet de persil plat
- Sel, piment de Cayenne

1 Éplucher et hacher l'oignon puis le faire rissoler au beurre jusqu'à ce qu'il soit transparent. Ajouter le riz, les lentilles et le bouillon de légumes. Porter à ébullition et faire cuire 45 min à couvert et à feu doux.

2 Nettoyer, laver et essorer les épinards. Égoutter le tofu et le couper en dés. Éplucher et hacher l'ail. Hacher grossièrement les noix. Mélanger le curcuma, le cumin, la coriandre, le gingembre, 1 bonne pincée de piment de Cayenne et du sel.

3 Dans une poêle, faire chauffer 3 cuillerées à soupe d'huile. Faire revenir à feu moyen le mélange d'épices, l'ail et le tofu, en tournant sans cesse, jusqu'à ce qu'une croûte se forme sur les dés de tofu. Maintenir au chaud.

4 Faire chauffer l'huile restante dans la poêle. Y faire cuire les épinards et les noix par portions, à feu moyen, jusqu'à ce que les épinards soient tendres et d'un vert intense. Mélanger chaque portion avec le tofu et maintenir au chaud.

5 Assaisonner les épinards au curry avec le jus de citron et, selon les goûts, de sel et de piment de Cayenne. Mettre dans les assiettes chaudes avec le riz et les lentilles.

6 Battre le yaourt avec la crème fraîche. Hacher finement le persil. Répandre le mélange à base de yaourt sur les portions d'épinards au curry et parsemer de persil.

◆ Ce plat épicé ravira tous ceux qui aiment les mets exotiques. Le curry est plus parfumé quand on mélange soi-même les différents ingrédients. Mais pour cette recette, le curry en poudre tout prêt convient très bien. Veiller cependant à ce qu'il soit de bonne qualité car son goût peut être très fort.

Variante :

Remplacer les épinards par des bettes, du pak-choy ou encore du pe tsaï, deux variétés de chou chinois.

Avoine aux tomates à l'étuvée

pour **4 personnes** – préparation : **1 heure 15**
une portion contient environ : 310 kcal – Protides : 14 g – Lipides : 12 g – Glucides : 37 g
difficulté : ★ ★ – coût : €

• 500 g de tomates
• 1 botte d'oignons nouveaux
• 1 petit poivron rouge
• 200 g de grains d'avoine
• 50 g de fines herbes mélangées
(persil, thym, origan)
• 100 g de crème liquide

• 50 g de parmesan râpé
• 1 cuil. à café de bouillon de légumes instantané
ou d'assaisonnement végétal
• 1 cuil. à soupe d'huile d'olive
• 1 pincée de sucre
• Sel

1 Porter 40 cl d'eau et le bouillon de légumes à ébullition avec les grains d'avoine. Faire cuire 1 h à couvert et à feu doux. Hors du feu, laisser reposer encore 1 h à couvert.

2 Pendant ce temps, peler les tomates (voir Conseils p. 26) et les couper en morceaux après avoir ôté les pédoncules. Enlever les feuilles extérieures flétries des oignons et couper l'extrémité de la racine. Laver les oignons et les tailler en morceaux de la largeur d'un doigt. Couper et épépiner le poivron, puis le passer sous l'eau froide avant de le tailler en minces lanières. Laver et hacher les herbes après avoir ôté les tiges dures du thym.

3 Faire chauffer l'huile et y faire revenir les oignons et le poivron 3 min en remuant constamment. Ajouter l'avoine avec son bouillon et les tomates. Porter à ébullition. Saler, poivrer et faire cuire 5 min à feu doux et à couvert.

4 Incorporer la moitié des herbes. Mettre l'avoine dans les assiettes et décorer chaque part d'une dose de crème liquide. Parsemer avec les herbes restantes et le parmesan.

Courgettes rôties au blé

pour **4 personnes** – préparation : **1 heure 20**

une portion contient environ : 430 kcal – Protides : 15 g – Lipides : 23 g – Glucides : 43 g

difficulté : ★ ★ – coût : €€

- 600 g de petites courgettes
- 300 g de poivrons rouges ou verts
- 2 carottes (200 g environ)
- 1 oignon
- 1 gousse d'ail
- 200 g de grains de blé
- 100 g de crème fraîche

- 50 g de parmesan râpé
- 4 cuil. à soupe d'huile d'olive
- 2 citrons non traités
- 5 feuilles de sauge fraîche
- Sel, poivre noir du moulin
- Piment de Cayenne

1 Verser 40 cl d'eau sur le blé, couvrir et laisser tremper 1 h. Saler et porter à ébullition, laisser cuire 1 h à feu doux et à couvert.

2 Laver et égoutter les courgettes, les couper en deux dans le sens de la longueur après avoir coupé les extrémités. Poser ces moitiés sur la tôle du four, la surface coupée vers le haut.

3 Laver et égoutter les citrons. Découper un fin morceau de zeste de 3 cm de long et le mettre de côté. Presser les citrons.

4 Arroser les courgettes avec 4 cuillerées à soupe de jus de citron et 3 cuillerées d'huile d'olive. Saler et poivrer.

5 Glisser la tôle (à mi-hauteur) dans le four froid. Faire cuire les courgettes 30 min à 180 °C jusqu'à ce qu'elles soient tendres.

6 Pendant ce temps, éplucher et hacher l'oignon et l'ail. Laver et couper les feuilles de sauge ainsi que le zeste du citron en tout petits morceaux. Laver, égoutter et épépiner les poivrons, puis les couper en dés.

7 Faire chauffer l'huile restante. Faire rissoler à feu doux et en remuant l'oignon et l'ail jusqu'à ce qu'ils soient transparents. Ajouter la sauge, le zeste de citron, les poivrons, le blé - y compris le bouillon restant - et la crème fraîche. Porter à ébullition et laisser cuire 5 min à couvert et à feu doux.

8 Assaisonner le blé avec le jus de citron restant, du sel, 1 pincée de piment de Cayenne et mélanger avec le fromage.

9 Dresser les courgettes et le blé dans des assiettes chaudes. Éplucher et râper les carottes, en parsemer les courgettes au blé.

◆ Ce plat d'été léger est facile à réaliser. Il plaît à tous ceux qui apprécient les céréales accommodées de manière inhabituelle et à ceux qui sont déjà habitués à une nourriture riche en fibres alimentaires. Si vous commencez juste à vous familiariser avec l'alimentation naturelle, utilisez du riz naturel facilement assimilable plutôt que du blé. En été, ce plat peut se faire avec de belles tomates mûres et des herbes fraîches comme le romarin ou la sauge.

Croustilles à la salade de tomates

pour **4 personnes** – préparation : **30 minutes environ**

une portion contient environ : 380 kcal – Protides : 15 g – Lipides : 18 g – Glucides : 40 g

difficulté : ★ ★ – coût : 🌐

- 1 kg de tomates
- 75 g de fromage de brebis (feta)
- 1/4 litre de lait
- 2 petits œufs
- 4 petits pains complet rassis
- 3 cuil. à soupe de biscotte émiettée
- 4 cuil. à soupe d'huile d'olive
- 3 cuil. à soupe de vinaigre de vin rouge
- 1 cuil. à café d'origan séché
- noix muscade râpée
- 1 bouquet de ciboulette
- 1 bouquet de basilic
- Sel, poivre noir du moulin
- Piment de Cayenne

1 Enlever la croûte des pains, les partager en deux disques. Mettre les moitiés les unes à côté des autres dans un plat peu profond. Faire chauffer le lait avec le sel, 1 pincée de piment de Cayenne et la noix muscade et arrêter avant ébullition. Verser le mélange sur les pains et les laisser tremper 2 min de façon à ce qu'ils absorbent bien le liquide (veiller à ce qu'ils ne se ramollissent pas trop).

2 Battre les œufs dans une assiette. Mélanger la biscotte et l'origan dans une autre. Faire chauffer 2 cuillerées à soupe d'huile dans une poêle.

3 Rouler les pains dans les œufs, puis dans la chapelure et les faire revenir 5 min de chaque côté dans l'huile chaude à feu moyen.

4 Laver et couper les tomates en rondelles. Hacher la ciboulette et le basilic. Dresser les rondelles de tomates sur une assiette, parsemer de fines herbes et arroser avec le vinaigre et l'huile restante. Couper le fromage en dés et le répandre sur les tomates. Saler, poivrer et servir avec les croustilles très chaudes.

Fricadelles gratinées

pour **4 personnes** – préparation : **1 heure 35**

une portion contient environ : 430 kcal – Protides : 26 g – Lipides : 14 g – Glucides : 47 g

difficulté : ★★ – coût : €

• 500 g de légumes mélangés
(carottes, poireau, céleri-rave, courgettes)
• 1 oignon
• 250 g de fromage blanc maigre
• 75 g d'emmenthal râpé
• 2 œufs
• 120 g de farine de blé complet

• 100 g de biscottes complètes émiettées
• 2 cuil. à soupe d'huile d'olive
• 1 bouquet de persil
• Noix muscade râpée
• Sel
• Piment de Cayenne
• Beurre pour la tôle du four

1 Nettoyer les légumes, les éplucher selon les cas, les laver, les égoutter et les couper en tout petits morceaux. Éplucher et hacher l'oignon. Laver, essuyer et hacher le persil.

2 Travailler en une pâte lisse les légumes, l'oignon, le persil, le fromage blanc, les œufs, la farine et 25 g de biscottes émiettées. Saler, poivrer et saupoudrer de noix muscade.

3 Avec les mains mouillées, façonner 12 fricadelles plates. Se remouiller les mains de temps à autre afin que la pâte ne colle pas. Disposer les fricadelles sur une tôle bien beurrée.

4 Parsemer avec la chapelure et l'emmenthal, arroser d'huile. Glisser la tôle dans le four froid (à mi-hauteur). Faire cuire les fricadelles 35 min à 180 °C. Servir avec des crudités de printemps ou de carottes râpées aux raisins (voir p. 6 et 8).

5 Verser les pâtes dans une passoire, les égoutter et les mélanger avec les légumes et le pain frit. Mettre les pâtes aux légumes dans des assiettes chaudes, saupoudrer de fines herbes et servir aussitôt.

◆ Pour cette recette, choisir des légumes ne contenant pas trop d'eau. Les tomates juteuses et les salades sont à éviter. Il est important que les légumes soient hachés très finement afin que la pâte soit bien liée et que les fricadelles conservent leur forme lors de la cuisson. Si la pâte est trop humide, ajouter un peu plus de farine.

Gaufres et salade de poireaux

pour **4 personnes** – préparation : **4 heures 45**
une portion contient environ : 600 kcal – Protides : 26 g – Lipides : 36 g – Glucides : 43 g
difficulté : ★ ★ – coût : €

Pour la salade de poireaux :
• 750 g de poireaux minces
• 1 poignée de cresson à petites feuilles
• 1/4 litre de bouillon de légumes (voir page 14)
• 2 cuil. à soupe d'huile de maïs
• 1 cuil. à soupe de vinaigre de cidre
• 1 pincée de sucre, sel

Pour les gaufres :
• 200 g de grains de blé
• 100 g de crème liquide aigre
• 100 g de mimolette
• 1/4 litre de lait
• 2 œufs
• 100 g de noisettes en poudre
• 2 cuil. à café de thym séché
• Noix muscade râpée
• Poivre noir du moulin
• Matière grasse pour le moule à gaufres

1 Bien nettoyer les poireaux, les laver soigneusement, les essuyer et les couper en tronçons de la longueur d'un doigt.

2 Faire revenir les poireaux à feu doux dans l'huile chaude. Faire bouillir le bouillon en assaisonnant. Laisser tremper les poireaux 3 min, feu éteint. Ajouter le vinaigre et laisser reposer la salade de poireaux couverte 3 h à température ambiante.

3 Pour les gaufres, broyer grossièrement le blé et le mélanger avec le lait, la crème, les œufs, le fromage, les noisettes en poudre, le thym, du sel, du poivre et de la noix muscade.

4 Peu avant le repas, couper le cresson et le répandre sur la salade de poireaux. Graisser le moule à gaufres. Verser 1 1/2 cuillerée à soupe de pâte, fermer le moule et faire cuire chaque gaufre 3 à 4 min.

◆ Les gaufres sont idéales pour les enfants. La pâte et la salade peuvent se préparer à l'avance.

Quiche au tofu

pour **5 personnes** – préparation : **1 heure 30**
une portion contient environ : 430 kcal – Protides : 16 g – Lipides : 26 g – Glucides : 31 g
difficulté : ★ – coût : €

- 300 g de tomates
- 1 botte d'oignons nouveaux
- 250 g de tofu
- 250 g de yaourt
- 75 g de beurre mou
- 50 g d'emmenthal râpé

- 2 cuil. à soupe de crème fraîche
- 150 g de farine de blé complet
- 50 g de chapelure
- 25 g de graines de tournesol
- Noix muscade râpée
- Sel, piment de Cayenne

1 Travailler la farine, 1 pincée de sel, 1 1/2 cuillerée à soupe d'eau et le beurre ramolli en une pâte brisée lisse. Si la pâte est trop compacte, ajouter de l'eau goutte à goutte.

2 Mettre la boule de pâte dans un moule de 26 cm de diamètre et presser pour l'étendre au fond. Presser ensuite avec les pouces pour former un bord de 4 cm de haut. Mettre au frais pendant la préparation de la garniture.

3 Peler les tomates (voir Conseils, p. 26) et les couper en rondelles après avoir enlevé les pédoncules. Nettoyer, laver et émincer les oignons. Couper le tofu égoutté en tranches. Répartir tous ces ingrédients sur la pâte.

4 Mélanger le yaourt, la crème fraîche, l'emmenthal, du sel, du piment de Cayenne et de la noix muscade et verser sur la pâte. Parsemer de chapelure et de graines de tournesol. Mettre la quiche dans le four froid et faire cuire 40 min à 200 °C.

◆ La quiche, gâteau à la succulente garniture de légumes, tofu et yaourt, convient à toutes les occasions. Servie très chaude avec une salade mixte, elle constitue un copieux plat principal. Tiède ou froide, elle s'intègre à un buffet ou devient un amuse-gueule agréable à déguster avec du vin. Si vous n'avez pas le temps de préparer la pâte brisée, utilisez de la pâte feuilletée à la farine de blé complet, en vente dans les magasins de produits diététiques. Faites-la décongeler pendant la préparation de la garniture.

Spätzle aux légumes

pour **4 personnes** – préparation : **1 heure 10**
une portion contient environ : 450 kcal – Protides : 25 g – Lipides : 16 g – Glucides : 54 g
difficulté : ★ ★ – coût : €

- 500 g de chou de Milan (chou vert frisé)
- 400 g de céleri-rave
- 300 g de chou-rave
- 250 g de carottes avec leurs fanes
- 250 g de poireaux
- 250 g d'oignons
- 200 g de farine de blé complet

- 4-5 œufs
- 25 g de beurre
- 10 cl de bouillon de légumes (voir page 14)
- 1 cuil. à café d'huile de tournesol
- 1 bouquet de persil plat
- Sel, poivre blanc du moulin

1 Pour les spätzle, mélanger la farine avec 1 bonne pincée de sel, puis avec 4 œufs. La pâte doit être assez épaisse et visqueuse. Si nécessaire, ajouter l'œuf restant. Recouvrir la pâte et la laisser reposer jusqu'à ce que les légumes soient prêts.

2 Nettoyer et éplucher le céleri, le chou-rave et les carottes. Détacher les feuilles tendres de ces légumes et les mettre de côté. Couper les légumes en dés. Ôter les feuilles flétries du chou, le partager en huit et bien le laver. Tailler ces morceaux et le tronc en lanières. Nettoyer, laver et tailler les poireaux en morceaux de la largeur d'un doigt.

3 Éplucher les oignons, les couper en deux et les émincer. Faire chauffer le beurre et l'huile dans une poêle jusqu'à ce que le beurre ait fondu. Y faire blondir les oignons à feu doux, en remuant souvent.

4 Pour les spätzle, porter une grande quantité d'eau salée à ébullition.

5 Faire bouillir le bouillon de légumes, y plonger les légumes et porter à nouveau à ébullition. Couvrir, puis faire cuire à couvert 10 à 15 min les légumes *al dente*, fermes sous la dent.

6 Disposer sur une planche en bois de petits tas de pâte. Les détacher de la planche avec un couteau ou les passer dans l'appareil permettant de découper la pâte. Plonger les spätzle ainsi obtenus dans l'eau frémissante. Les faire cuire jusqu'à ce qu'ils flottent à la surface. Sortir ceux qui sont prêts avec une écumoire et les maintenir au chaud.

7 Ajouter les légumes et le bouillon. Saler et poivrer.

8 Laver, essuyer et hacher le persil et les feuilles de légumes. Les répandre avec les oignons frits sur la préparation.

◆ Les spätzle, sortes de petites boulettes, sont une spécialité alsacienne. Ils sont plus vite préparés que les pâtes au blé complet faites à la maison. On peut, tout comme ces dernières, les mélanger avec des légumes, des sauces et du fromage. Les cuisiniers habitués à faire les spätzle étendent la pâte sur une planche en bois et la taillent avec un couteau humide au-dessus de l'eau bouillante. Si vous n'avez pas le temps de préparer les spätzle, remplacez-les par des pâtes au blé complet.

Boulettes de millet à la sauce tomate

pour **5 personnes** – préparation : **1 heure 15**
une portion contient environ : 380 kcal – Protides : 12 g – Lipides : 12 g – Glucides : 49 g
difficulté : ★ ★ – coût : € €

- 500 g de choucroute crue
- 500 g de tomates
- 3 oignons
- 2 pommes acides ('cox orange', environ 300 g)
- 200 g de millet
- 40 g de farine de blé complet
- 2 cuil. à soupe de crème fraîche
- 2 œufs
- 12 cl de jus de pomme naturellement trouble

- 1 cuil. à café de bouillon de légumes instantané
- 3 cuil. à soupe de jus de citron
- 3 cuil. à soupe d'huile de maïs
- 1 bouquet de persil plat
- 1/2 bouquet de ciboulette
- 2 feuilles de sauge
- 1 feuille de laurier
- Sel, poivre noir du moulin

1 Faire bouillir 1/2 litre d'eau et le bouillon de légumes avec le millet et faire cuire 30 min à couvert et à feu doux. Laisser tiédir.

2 Pendant ce temps, égoutter la choucroute, éplucher et hacher les oignons. Laver, essuyer et hacher le persil. Couper les pommes en quatre, les éplucher, ôter les pépins, les couper en dés puis les arroser de jus de citron. Peler les tomates (Conseils voir p. 26), les tailler en dés après avoir enlevé les pédoncules. Laver, essuyer et hacher la sauge.

3 Faire chauffer une cuillerée à soupe d'huile pour la choucroute. Faire revenir un tiers des oignons à feu moyen jusqu'à ce qu'ils soient transparents. Ajouter la choucroute, le laurier, le jus de pomme, saler et poivrer. Porter à ébullition puis faire cuire 20 min à couvert et à feu doux. Ajouter les pommes et faire cuire 10 min de plus.

4 Pour les boulettes, porter une grande quantité d'eau salée à ébullition. Mélanger le millet avec les œufs, un tiers des oignons, le persil, la farine et du sel. Avec les mains mouillées, former 10 boulettes avec la pâte. Les plonger dans l'eau bouillante, les faire cuire 15 min à feu très doux et sans les faire bouillir.

5 Faire chauffer l'huile restante pour la sauce tomate. Y faire rissoler le reste des oignons jusqu'à ce qu'ils soient transparents. Ajouter les tomates et la sauge et faire cuire 5 min à feu vif en remuant constamment. Verser la crème fraîche, saler et poivrer.

6 Laver, essuyer et hacher la ciboulette. À l'aide d'une écumoire, retirer les boulettes de l'eau, bien les égoutter. Les disposer avec la choucroute à côté. Les napper de sauce tomate ou les laisser à part et parsemer de ciboulette.

◆ Vous pouvez préparer les boulettes à l'avance car elles se congèlent bien. Après les avoir décongelées, vous les préparerez avec de la sauce tomate ou vous les servirez, parsemées de fines herbes fraîches hachées, dans du bouillon de légumes.

Boule à la sauce d'abricots

pour **4 personnes** – préparation : **1 heure 30**
une portion contient environ : 400 kcal – Protides : 16 g – Lipides : 7 g – Glucides : 71 g
difficulté : ★★ – coût : €

- 300 g de farine de blé complète
- 1/2 sachet de levure sèche
- 30 g de sucre de canne en poudre
- 1/4 litre de lait
- 2 œufs
- Le zeste de 1/2 citron non traité
- Sel

Pour la sauce :
- 500 g d'abricots
- 10 cl de jus de fruits non sucré
- 1 cuil. à soupe de jus de citron
- 1 cuil. à café de cannelle en poudre
- Beurre et farine pour la cuisson

1 Mélanger la farine, la levure et 1 cuillerée à café de sucre de canne. Ajouter le lait tiède, les œufs, le citron et du sel. Tourner toutes les 5 min. Couvrir la pâte et la laisser reposer 45 min jusqu'à ce qu'elle ait doublé de volume.

2 Tremper un torchon dans de l'eau brûlante, bien l'essorer et l'enduire de beurre et de farine. Faire une boule avec la pâte, l'envelopper dans le torchon et la laisser reposer encore 15 min.

3 Porter à ébullition un grand volume d'eau salée. Lier le torchon avec une ficelle au-dessus de la boule. Glisser une cuillère de cuisine dans la boucle formée et plonger la boule complètement dans l'eau. Faire cuire 45 min à couvert et à feu doux.

4 Pour la sauce, écraser les abricots lavés et dénoyautés dans le jus de fruits et celui du citron. Mélanger la cannelle avec le sucre en poudre. Couper la boule, saupoudrer le mélange sucre-cannelle et napper de sauce à l'abricot.

◆ Voici un dessert « naturel » qui peut tenir lieu de plat principal. Varier les fruits frais selon la saison.

Crème d'avoine aux fruits

pour **4 personnes** – préparation : **30 minutes environ**
une portion contient environ : 480 kcal – Protides : 9 g – Lipides : 23 g – Glucides : 61 g

difficulté : ★ ★ – coût : €

- 125 g de flocons d'avoine complète
- 2 pommes acides (300 g)
- 100 g de pruneaux
- 50 g de raisins de Corinthe
- 100 g de crème liquide
- 2 cuil. à soupe de miel (40 g environ)
- 75 g de noix hachées
- 12 cl de lait
- 1 pincée de sel

1 Porter 3/4 litre d'eau à ébullition, le sel, le lait avec les flocons d'avoine, couvrir et faire cuire 10 min à feu doux. Remuer souvent afin que les flocons n'attachent pas dans le fond de la marmite.

2 Pendant ce temps, couper les pruneaux en morceaux et enlever les noyaux. Couper les pommes en quatre, les éplucher, enlever les pépins et les râper ou les couper en petits morceaux.

3 Verser la crème d'avoine dans le ou les plats de service et couvrir de pruneaux, pommes et raisins de Corinthe. Arroser de crème et parsemer de miel et de noix.

Délices de baies

pour **4 personnes** – préparation : **30 minutes** – repos : **6 heures**
une portion contient environ : 290 kcal – Protides : 4 g – Lipides : 14 g – Glucides : 37 g
difficulté : ★ – coût : ⊜ ⊜

- 800 g de baies variées
- 150 g de crème liquide
- 50 g de sucre de canne en poudre
- 1 morceau de zeste de citron non traité
- 1/2 cuil. à café d'agar-agar
- 12 cl de lait
- 1/4 litre de jus de fruits non sucré

1 Nettoyer les baies, les essuyer et ôter les pédoncules. Les mettre dans des petits contenants de votre choix pour donner à la préparation finale une jolie forme.

2 Mélanger 3 cuillerées à soupe de jus de fruits avec l'agar-agar. Faire bouillir le jus restant avec le sucre en poudre et le zeste du citron. Ajouter l'agar-agar, porter à ébullition et faire cuire 1 min à feu doux. Verser le mélange brûlant sur les baies. Couvrir chaque contenant et laisser-les 6 h au réfrigérateur.

3 Pour servir, mélanger la crème et le lait, les verser dans un pot et présenter avec les délices de baies.

Conseil

Pour les desserts naturels et les plats sucrés, utiliser peu d'édulcorants. Les jus de fruits, le miel, le sucre de canne et le sirop d'érable ne sont pas vraiment bons pour la santé. Tous les édulcorants - autres que les sucres blanc et brun - contiennent un peu de vitamines et de minéraux, mais trop peu pour avoir un effet. Dans l'alimentation naturelle le corps ne puise plus son énergie dans des produits très riches en sucre, mais dans des aliments très nutritifs comme les pommes de terre, les légumineuses, les céréales complètes, les légumes et les fruits.

Soufflé de riz aux quetsches

pour **4 personnes** – préparation : **1 heure 40**

une portion contient environ : 570 kcal – Protides : 16 g – Lipides : 22 g – Glucides : 78 g

difficulté : ★★ – coût : €

- 750 g de quetsches
- 200 g de riz long complet
- 4 œufs
- 50 g de beurre
- 1/2 litre de lait
- 50 g de sucre de canne en poudre
- le zeste râpé de 1/2 citron
- 1 pincée de sel
- Beurre, biscotte finement émiettée pour le moule

1 Porter à ébullition le lait avec le riz, le zeste de citron et le sel. Couvrir et faire cuire à feu doux 45 min jusqu'à ce que le riz soit tendre. Laisser tiédir.

2 Pendant ce temps, laver et couper les quetsches en deux, les dénoyauter et les couper en morceaux.

3 Battre le beurre et le sucre afin d'obtenir un mélange mousseux. Séparer les jaunes des blancs d'œufs. Incorporer les jaunes, puis le riz, cuillerée par cuillerée, dans le mélange. Ajouter les quetsches. Battre les blancs en neige ferme et les intégrer.

4 Beurrer un moule à soufflé ou plusieurs petits moules et l'enduire de biscotte émiettée. Verser la préparation dans le moule et glisser celui-ci dans le four froid (à mi-hauteur). Faire cuire 45 min à 180 °C. Servir chaud.

Cet ouvrage reprend la majorité des recettes du livre *Cuisine végétarienne*, paru en 1992 dans la collection Petits Pratiques Hachette, chez Hachette Pratique.

Remerciements
Garlone bardel remercie les boutiques suivantes :
Astier de Villatte (p.14, 18, 24, 26, 28, 34, 38, 42, 44, 48, 56, 60)
173 rue Saint-Honoré, 75001 Paris. 01 42 60 74 13
Luka Luna (p.4, 6, 8, 10, 12, 14, 16, 26, 28, 30, 32, 42, 48, 52, 56, 58, 62)
77 rue de la Verrerie, 75004 Paris. 01 48 87 28 18.
Caravane (p.6, 18, 22, 24, 32, 56, 60)
6 rue Pavée, 75003 Paris. 01 44 61 04 20.
Jeanine Cros (p.14, 16, 26, 38, 50, 52)
11 rue d'Assas, 75006 Paris. 01 45 48 00 67.
Bon Marché (p.22, 30, 36, 50)
24 rue de Sèvres, 75007 Paris. 01 44 39 80 00.
Les Toiles du Soleil (p.46)
66 260 Saint-Laurent-de-Cerdans. 04 68 39 50 02.

L'éditeur remercie Cécile Mendiboure pour son aide précieuse.

Direction : Stephen Bateman
Direction éditoriale : Pierre-Jean Furet
Édition : Christine Martin
Correction : Sylvie Gauthier
Conception intérieure : Dune Lunel
Réalisation intérieure : MCP
Conception et réalisation couverture : Nicole Dassonville
Fabrication : Claire Leleu

Dépôt légal : janvier 2005
ISBN : 2-01-62-0952-6
62-66-0952-01-2
Impression : G. Canale & C.S.p.A., Turin (Italie).